D0539752

Le chevalier Poussière
de Luigi Ceschino,
illustré par Sophie Toussaint.

CHAPITRE

C'est l'histoire d'un petit chevalier qui n'a pas de chance. Personne ne le remarque, personne ne l'écoute. Il a beau astiquer son armure, elle reste toujours poussiéreuse et cabossée, car il ne cesse de tomber. Finalement, il arrive toujours après la bataille.

Le jour où il a été fait chevalier, il s'est pris les pieds dans son épée et... patatras !

Le roi a éclaté de rire :

– On t'appellera Poussière, s'est-il écrié, le chevalier Poussière !

C'est comme ça, tout le monde se moque de lui. Il aimerait tant être acclamé au moins une fois, pris au sérieux, considéré. Mais ses efforts font tellement rire !

Un matin, Poussière se rend au château. C'est jour de marché, la populace se presse sur la place du bourg. On le bouscule, on le montre du doigt. Deux jolies lavandières pouffent sur son passage :

– Mais, c'est le petit Poussière !

– Oui… il ferait mieux d'ôter toute cette ferraille inutile qu'il a sur le dos ! On dirait un escargot !

Le chevalier Poussière rougit sous son heaume. Cette fois, c'en est trop. Il grimpe sur un
tonneau de harengs et crie à la cantonade :
– Moi, Poussière, chevalier, je vais faire
quelque chose d'exceptionnel !

Les gens se rassemblent, curieux. Ils regardent Poussière avec son armure cabossée, et rigolent :

– Et qu'est-ce que tu vas faire ? se moque une jeune boulangère, ce n'est pas tout d'être chevalier, il faut encore le mériter !

Toute la place est secouée par un grand éclat de rire. On doit l'entendre du château !

Poussière se sent ridicule. Il en a gros sur le cœur. Alors il crie encore plus fort :

– Je vais faire quelque chose d'impossible !
Je vais...

Un brouhaha moqueur l'interrompt aussitôt :

– Il va peut-être délivrer la fille du roi..., dit
un paysan.

– Oh non ! Un autre l'a déjà fait !

– Alors il va retrouver le trésor perdu du
terrible magicien ! souffle un marchand.

– Mais non, on s'en est chargé le mois
dernier, rétorque un soldat.

Le chevalier, vexé, hurle :

– Mais écoutez-moi donc ! Je vais tuer le Dragon !

Un grand silence suit cette déclaration. Puis tout le monde se met à parler en même temps :

– Le Dragon ? Jamais personne ne l'a vu...

– Mais si ! On dit que sa taille et sa force sont légendaires...

– Il crache du feu, et brûle tous ceux qui l'approchent. Il habite dans la forêt de Nulle-Part.

– Poussière n'y arrivera jamais... on ne revient pas de cette forêt !

Cette fois, le chevalier est content : on va enfin l'écouter, le respecter.

Le grand jour est arrivé. Sur la place, il y a foule. Les gens le regardent passer, impressionnés. On ne l'applaudit pas encore, mais ce silence lui réchauffe le cœur. Cela lui redonne un peu de courage, car son défi le fait trembler. Son lourd cheval avance lentement, son armure réparée et astiquée brille au soleil. Bientôt, derrière lui, les dernières maisons du village ont disparu.

CHAPITRE

Poussière n'a jamais quitté sa ville natale, et les grands arbres sombres de la forêt de Nulle-Part l'effraient un peu. Il choisit le plus grand.

« De là-haut, pense-t-il, je verrai tout, rien n'échappera à mon œil de chevalier ! »

Maintenant qu'il est seul, il peut bien se l'avouer : il n'a jamais eu l'intention de tuer le Dragon. Il veut seulement le rencontrer, et peut-être se mesurer un peu avec lui. Le chevalier grimpe lourdement, choisit deux fortes branches, et s'installe.

Perché en haut de son arbre, Poussière sait que l'attente sera longue. Il aimerait bien que tout soit déjà terminé, mais il ne peut plus reculer.

Le premier jour, il ne voit rien.

Le second non plus ; ni le troisième !

Mais le quatrième, le soleil perce les nuages ; l'armure brille, et le chevalier se sent cuire à l'étouffée, comme un ragoût. Ses yeux se ferment ; il s'endort...

– Ahhh !

Dans un grand bruit de ferraille, Poussière s'est écrasé au pied de l'arbre. Son cheval s'échappe en hennissant. L'armure est à nouveau cabossée, et le heaume coincé. À moitié assommé, le chevalier entend un bruit étrange :

– Oumpf ! Hummm !

Poussière tente de se relever ; il trébuche sous les trente-cinq kilos de ferraille tordue...

– Holà ! Qui est-ce donc ? dit-il peureusement.

Près de l'étang, un gros homme est assis par terre, la figure toute rouge. Il presse ses deux mains sur sa bouche, et retient sa respiration. Les oiseaux l'observent, silencieux.

– Hum ! dit le chevalier, êtes-vous malade ?

– Ah ! quel malheur ! J'ai avalé de travers ! dit l'homme entre ses doigts, ça me gratte, ça me démange ! Aide-moi je t'en prie, si je tousse, je vais détruire la forêt !

– Hum ! Vous exagérez peut-être un peu ! dit Poussière.

– Non, je t'assure ! Regarde !

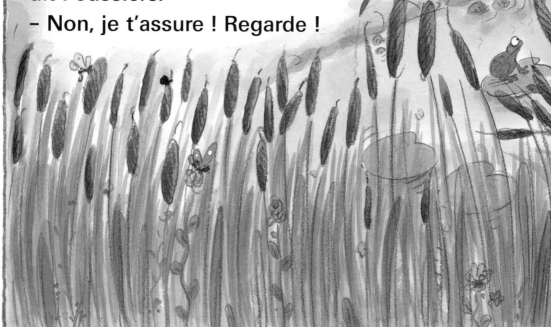

Ôtant ses mains de sa bouche, le gros homme tousse une fois. Son souffle jaillit, si violent qu'il arrache les branches, éparpille les feuilles devant lui.

Le chevalier n'hésite pas longtemps. Il sort de son sac un pot de miel qu'il enfourne dans la bouche béante. La toux de l'homme se calme aussitôt.

– Merci, je me sens mieux. Je m'appelle Souflore, chuchote-t-il, la main devant la bouche. Mais que fais-tu donc, tout seul, dans cette forêt perdue ? Tu ne serais pas par hasard à la recherche du Dragon ?...

Et comme le chevalier ne répond pas,

– ... Appelle-moi, si tu as besoin de moi...

Souflore disparaît entre les arbres, dans un tourbillon de feuilles et de terre.

CHAPITRE

Le chevalier est fier d'avoir guéri Souflore.
Il reprend son poste, accroupi dans son nid.
Il n'a gardé sur lui que sa cotte de mailles.
Il aimerait faire savoir au Dragon qu'il ne lui
veut aucun mal ; qu'il voudrait juste le rencontrer, pour que les villageois apprécient son
courage. Des fourmis grimpent sous sa cotte,
il a chaud, ça le démange, mais il est prêt à
tout endurer !
Le cinquième jour, rien ne bouge ; le sixième
non plus !
Mais le septième, le chevalier manque de
tomber à nouveau. Un grand bruit de
feuillages agités en tous sens l'a fait sursauter.

Il dresse la tête, aperçoit un autre homme, mince comme un ressort, empêtré dans les branches, tout ficelé de lianes.

– Libère-moi donc, chasseur de Dragon ! C'est moi, Perce-Ciel ! Tu n'es pas le premier à venir dans cette forêt, mais tous les autres ont échoué ! Si tu tranches ces liens, je t'aiderai.

« Moi, un chasseur de Dragon ? pense Poussière, cet homme est bien sympathique ! Allons, un peu d'entraînement me fera du bien ! »

Le chevalier démêle les branches à grands coups de son épée ébréchée. Il parvient à dégager les jambes. L'homme aussitôt saute en l'air, et disparaît entre deux nuages, en criant :

– Merci, chevalier ! Tu peux compter sur moi ! Je serai là, le moment venu !

Poussière est content.

Il reprend son attente, les yeux fixés sur l'horizon.

Il essaye de penser à autre chose, observe un oiseau, une branche, un amas de feuillage pourpre...

CHAPITRE

Soudain, le chevalier s'agite sur sa branche. Il transpire abondamment. La sueur coule de son front, inondant ses joues rougies.

Poussière regarde autour de lui, se penche autant qu'il peut. Ce qu'il voit le glace d'effroi : énorme, massif, pourvu de deux courtes ailes charnues, un Dragon de belle taille crache de longs jets de feu.

Poussière n'a pas bien vu ! Il est encore tombé, et ses chausses sont déchirées. Toute fierté envolée, il rampe de buisson en buisson. Chaque jet de feu l'oblige à essuyer son visage ruisselant. Tremblant de peur, il plonge au milieu des fougères ! Trop tard, le Dragon l'a aperçu !

L'animal monstrueux grogne sourdement.
La terre est brûlée alentour, le sol fume et se
craquelle. Le silence règne, tous les animaux
ont fui...

Courageusement, le chevalier se redresse, tire
son épée, et... tombe dans un trou. Ses mains
tâtonnent maladroitement, cherchent une
racine à agripper...

Le Dragon avance, ses pattes tassent la terre brûlante. Il tourne vers Poussière ses naseaux écumant de fumée noire. Il approche encore, mais au dernier moment, le mince Perce-Ciel rebondit à côté du chevalier :

– Me voilà ! Pourquoi ne m'as-tu pas appelé ? Allez, grimpe ! Accroche-toi !

Poussière n'en croit pas ses yeux ! Vite, il s'agrippe à la tunique de l'homme. Tous deux bondissent vers le ciel. Ils frôlent les ailes déployées du Dragon menaçant. La bête, prenant appui sur ses deux pattes arrière, tourne vers eux sa gueule fumante. Une flamme jaillit de ses naseaux.

Aussitôt Souflore apparaît. Campé sur ses fortes jambes, les poings sur les hanches, il gonfle la poitrine et crie au chevalier :
– Tu aurais pu m'appeler, tout de même !

Un tourbillon de vent, une tornade sort de sa bouche, et souffle la flamme du Dragon ! La bête, furieuse, agite ses ailes, et se lance à la poursuite du chevalier, toujours juché sur le dos de Perce-Ciel. Alors Perce-Ciel se détend comme un ressort ! En quelques bonds, ils sont loin.

Le Dragon est vieux. Il vole lourdement derrière Poussière et Perce-Ciel, sans parvenir à les rattraper. Mais l'animal est rusé : il crache une dernière flamme et fait semblant de tomber évanoui ! Le chevalier est un peu surpris, mais il est drôlement fier de le voir ainsi allongé, à sa merci.

« Personne ne me croira, pense-t-il, il me faudrait une preuve de ma rencontre... »

Il s'approche vaillamment du Dragon, l'escalade et s'apprête à arracher une écaille. Mais le dragon se relève d'un bond. Poussière pâlit et glisse... vers l'énorme gueule ouverte !

D'une main, il se raccroche comme il peut à l'oreille de l'animal. Il croit sa dernière heure arrivée.

CHAPITRE

Le Dragon pousse un grondement terrible. Poussière ferme les yeux. Il tient encore l'oreille velue à pleine main, et c'est l'animal qui hurle de douleur ! Le Dragon gémit encore et referme brusquement les mâchoires, coinçant la cotte de mailles du chevalier entre ses dents. Aucun des deux n'ose alors bouger !

– Eh ! Laisse-moi ! crie Poussière terrifié.

– Lâche mon oreille ! grogne l'animal, qui semble souffrir terriblement.

– Non ! toi d'abord ! dit le chevalier, qui décide de ne pas se laisser faire et tord un peu plus fort encore.

– Ah non ! toi ! hurle le Dragon furieux, en crispant les mâchoires.

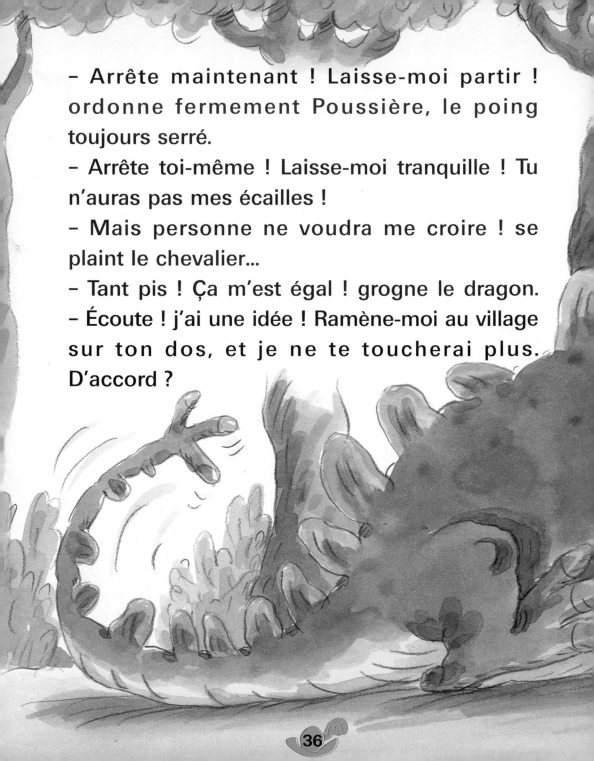

– Arrête maintenant ! Laisse-moi partir ! ordonne fermement Poussière, le poing toujours serré.

– Arrête toi-même ! Laisse-moi tranquille ! Tu n'auras pas mes écailles !

– Mais personne ne voudra me croire ! se plaint le chevalier...

– Tant pis ! Ça m'est égal ! grogne le dragon.

– Écoute ! j'ai une idée ! Ramène-moi au village sur ton dos, et je ne te toucherai plus. D'accord ?

Le Dragon réfléchit quelques instants ; un gros nuage de fumée sort de sa gueule. Le chevalier tousse, il est très rouge. Il a du mal à respirer. Combien de temps tiendra-t-il encore ?...

– Bon, d'accord ! dit enfin la bête, desserrant les dents.

Poussière lâche aussitôt l'oreille, et s'installe à califourchon sur le cou massif. Et les voilà tous deux partis, survolant la forêt, escortés de Perce-Ciel qui bondit de-ci de-là, et de Souflore, chassant les nuages devant eux.
Le chevalier est bien un peu vert, il a le mal de l'air, mais il redresse fièrement la tête, et s'accroche autant qu'il peut.

« Surtout ne pas tomber ! » pense-t-il très fort.
Ils planent bientôt au-dessus des premières
maisons, et les enfants repèrent vite le curieux
équipage. Ils reconnaissent le chevalier tout
crotté, aux habits déchirés, qui chevauche une
énorme bête. L'un d'eux s'écrie :

– C'est Poussière ! Le chevalier Poussière sur
le dos du Dragon !

En un instant, la place est vide ! Les gens se cachent. Les portes claquent.

La bête se pose.

Le chevalier glisse de son dos, trébuche et tombe, le nez dans une flaque de boue ! Le dragon en profite pour s'envoler vers la forêt de Nulle-Part. Aussitôt, la foule se précipite sur la place et acclame le héros.

Souflore grimpe sur Perce-Ciel et, d'un bond, ils disparaissent.

- Adieu, chasseur de Dragon !
Tu n'as plus besoin de nous !

Poussière est rebaptisé le chevalier Très-Fier. Il parle très fort et raconte à qui veut l'entendre que les dragons aussi ont un point faible : ils ont l'oreille très, très sensible...

Fin

moi, je lis DICO

Pour retrouver les mots dans le récit : le numéro de la page (*p.*) et celui de la ligne (*l.*) sont indiqués entre parenthèses.

à la cantonade (p. 7 ; l. 4).
Tous les matins, en entrant en classe, la maîtresse lance un « bonjour ! » *à la cantonade* : elle dit bonjour à tout le monde, mais à personne en particulier.

à la merci (p. 33 ; l. 6).
L'oisillon est tombé du nid ; comme il ne peut pas voler, il est *à la merci* des chats affamés : il est sans défense, il ne peut rien faire pour se protéger.

chausses *n. f. pl.* (p. 27 ; l. 10).
Une sorte de caleçon que portaient les hommes et qui arrivait aux genoux.

cotte de mailles *n. f.* (p. 23 ; l. 3).
C'est une tunique en fils de métal que portaient les soldats au Moyen Âge.

cuire à l'étouffée (p. 17 ; l. 9).
La cuisinière pose un couvercle sur la marmite pour *cuire* la viande *à l'étouffée* : cuire un aliment dans un récipient fermé.

heaume *n. m.* (p. 7 ; l. 1).
C'est le grand casque que portaient les soldats. Il couvrait toute la tête et le visage.

lavandière *n. f.* (p. 6 ; l. 4).
Le métier de *lavandière* a disparu depuis que les lave-linge existent : les femmes qui lavaient le linge à la main.

légendaire *adj.* (p. 10 ; l. 9).
La paresse de cet homme est *légendaire* : sa paresse est connue de tout le monde.

populace *n. f.* (p. 6 ; l. 2).
Les soldats empêchent la *populace* d'approcher les grands seigneurs : le bas peuple, les gens pauvres.

rétorquer *v.* (p. 9 ; l. 10).
Comme il refusait d'ouvrir la bouche, le dentiste lui a *rétorqué* que sa dent lui ferait de plus en plus mal : le dentiste lui a répliqué, lui a répondu.

Le choix des lecteurs

Tu as lu tous les récits de *Moi, je lis Diabolo*.
Tu les as adorés, mais certains encore plus que d'autres !
Dis-nous lesquels...

Le roi, la poule et les images : Cette poule pond de drôles d'œufs ; le portrait de celui qui la regarde est imprimé sur la coquille !

Le cèdre de Chine : Chang doit quitter son pays. Il emporte un cèdre de Chine planté dans un bol... Il le replantera dans le pays qui l'accueillera.

Placebo, une sorcière de remplacement : Placebo, trop étourdie pour se souvenir des formules magiques, a des idées bizarres, mais qui marchent !

Le retour du Père fouettard : Sophie et Jérôme mènent une enquête périlleuse pour découvrir le repaire d'un dangereux personnage, le Père fouettard.

Sa Majesté aux trente couronnes : Ce pauvre roi n'a même pas le droit de souffler les bougies de son gâteau d'anniversaire et il reçoit trente fois le même cadeau ! Trop, c'est trop, il s'en va !

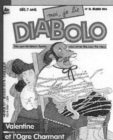

Valentine et l'Ogre Charmant : Quand Valentine, une fille entêtée, tombe amoureuse de l'ogre, ce grand costaud n'arrive plus à s'en débarrasser...
Qui va gagner ?

Le Super-Broute-papier : Le S-B-P est une invention très pratique pour vider la corbeille à papier. L'ennui, c'est qu'il « broute » aussi la tapisserie du salon, les affiches publicitaires... tout !

La rencontre des derniers géants : Un petit géant rencontre un moyen géant et tous deux rencontrent un grand géant. Ils vont parcourir le monde.

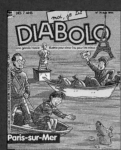

Paris-sur-Mer : De l'eau, qui ressemble à celle de la mer, a envahi Paris. On circule en barque entre les tours de Notre-Dame. Mais de l'autre côté de la terre, la mer a disparu...

La peur bleue d'Albertine : La peur existe vraiment, Valentine l'a vue, dans un placard. C'est Ignace, un monstre qui change de tête pour faire encore plus peur aux enfants.

Les amoureux de Lascaux : Au temps de la préhistoire, deux amoureux et leurs copains ont suivi un cour de dessin dans la grotte de Lascaux. Ils ont oublié d'effacer leurs œuvres.

Le tour du conteur : Markiel est le conteur du roi Clotaire III bis. Mais il n'a plus rien à raconter. Il part donc courir le monde à la recherche de nouvelles histoires.

Inscris tes titres préférés en commençant par celui que tu aimes le plus :

1er : ....

2e : ....

3e : ....

Il y en a un que tu n'as pas aimé ?
N'hésite pas, inscris son titre ici :

....

Découpe (ou photocopie) cette page et renvoie-la à :
Milan Presse
MOI, JE LIS Diabolo
300, rue Léon-Joulin
31101 Toulouse Cedex 100.

Note ici :

Ton nom : ....

Ton prénom : .... Ton âge : ....

Es-tu abonné(e) : oui ❑ non ❑

Ton adresse: n°......... rue ....

Code postal : ....

Ville : ....

Pays : ....

**Réponds vite !
Le 31 décembre,
2 bulletins seront tirés
au sort. Ces deux lecteurs
recevront chacun 10 livres !**

Au temps des chevaliers

1. À 8 ans, les garçons apprennent le métier de chevalier. Jusqu'à 12 ans, ils sont pages et s'occupent des chevaux.. De 12 à 16 ans ils apprennent le maniement des armes. Comment les appelle-t-on ?

▲ **Des esclaves.**
■ **Des suzerains.**
● **Des écuyers.**

2. Le chevalier possède plusieurs chevaux. Le palefroi est le cheval de parade, le sommier porte les bagages. Mais quel est le nom du cheval de bataille ?

▲ **Le percheron.**
■ **Le poney.**
● **Le destrier.**

3. L'épée est le symbole de la chevalerie. Les chevaliers lui donnent souvent un nom. Celle de Charlemagne s'appelait " Joyeuse ", celle de Roland, "Durandal". Quel était le nom de l'épée du roi Arthur ?

▲ **Excalibur.**
■ **Lancelot.**
● **Guenièvre.**

4. Au cours d'une cérémonie, l'écuyer est fait chevalier. Il reçoit de son seigneur des éperons et une épée. Il prête serment de loyauté, de courage et de générosité. Comment s'appelle cette cérémonie ?

▲ **Le tournoi.**
■ **La croisade.**
● **L'adoubement.**

« Courage, loyauté, générosité », telle est la devise des chevaliers ! Ces nobles guerriers du Moyen Âge avaient pour devoir de protéger les faibles et de défendre leur fief. Et toi, héroïque lecteur, accomplis ta mission : réponds aux questions !

5. Au combat, les chevaliers étaient casqués d'un heaume, gantés de gantelets, chaussés de solerets et revêtus d'une cotte de mailles formée de 30 000 anneaux soudés. Quel autre nom donne-t-on à cette robe de fer ?
▲ Un colbert.
■ Un haubert.
● Un haufer.

6. Le chevalier porte sur son bouclier l'emblème de son seigneur. Comment appelle-t-on les dessins qui sont représentés ?
▲ Le blason.
■ Le blazer.
● Le graffiti.

7. Les riches seigneurs possèdent une fauconnerie. Le faucon est l'animal favori du chevalier. À quoi lui servait-il ?
▲ À envoyer des messages.
■ À chasser.
● À crever les yeux des ennemis.

8. C'est la fête au château. Des ménestrels interprètent des chansons de geste. Qu'est-ce qu'une chanson de geste ?
▲ Une chanson mimée.
■ Une comptine.
● Un poème vantant les exploits des chevaliers.

Réponses : 1 = ● ; 2 = ● ; 3 = ▲ ; 4 = ● ; 5 = ■ ; 6 = ▲ ; 7 = ■ ; 8 = ●.

Illustration de François Ruyer.

TOM, MAX ET CHARLOTTE

Frissons garantis

Scénario de Gérard MONCOMBLE.
Dessins de Patrick GOULESQUE.
Couleurs d'Isabelle LEBEAU.

-FIN- 4

JEU

Le tournoi

1 Remets les lettres dans l'ordre. (Pour reconnaître les mots, aide-toi de « Moi je sais ».)

2 Le chevalier qui porte un panache remportera le tournoi. Lequel est-ce ?

GLANETTE

CLANE

MEAUHE

BETRAHU

PERFOILA

4 Finis de dessiner le blason en respectant la symétrie.

JEU

Fête au château
1 Qui est le seigneur du château ?
Pour le savoir, décode l'inscription
en t'aidant des couleurs.

L_ SE_G__UR
PO__D__N FA__

Illustrations : Stanislas Barthélémy
Solutions des jeux p. 67.

2 Que chante le ménestrel ? Pour le savoir, corrige tous les mots écrits en rouge.

UN CAVALEUR EST ARRIVÉ DANS LE PUITS SUR UN CHEVEUX DANCÉ AU TRIPE GALA.

LE CHEVEUX N'ARRÊTAIT PAS DE POURRIR ET LE CAVALEUR, FOU D'ORAGE TOMBA !

DING DONG TING

3 Écris dans la grille le nom des objets qui n'existaient pas au Moyen Âge.

M. DEGANO ©

TOUTES TES FICHES DIABOLO
À PORTÉE DE MAIN !

Dans un beau classeur aux couleurs de ton magazine, regroupées par thèmes : cuisine, activité, nature, bricolage, art, magie...

- **CLASSEUR PVC ; 2 ANNEAUX**
- **6 INTERCALAIRES DE COULEUR EN CARTON ÉPAIS**
- **LAVABLE, TRÈS RÉSISTANT**
  - **PEUT CONTENIR PLUS DE 200 FICHES**

Blagues

● – Au contrôle, j'ai rendu une feuille blanche, dit Paul à sa copine Marie.

– Moi aussi, répond Marie.

– Oh ! zut alors ! La maîtresse va croire que nous avons copié.

Mélanie.

● Une bande de poissons s'amuse. Arrive une étoile de mer :
– Attention les copains, dit un poisson, voilà le shérif !

François.

● – Lucien, dit le maître, cesse de siffler en travaillant !

– Mais, monsieur, je ne travaille pas !

Lucien.

Charade

● Mon premier a 6 faces.
Mon deuxième est ce que je fais avec un livre.
Mon troisième est un rongeur.
Mon quatrième se forme avec des lettres.
Mon tout fait rire.

Damien.

Réponse : Déliramots (dés-lis-rat-mot).

Devinettes

● Deux caramels mous se disputent. Que se disent-ils ?

Béranger.

Réponse : Arrête de jouer les gros durs !

● On peut m'enlever plusieurs lettres, ça ne me change pas. Qui suis-je ?

Céline.

Réponse : le facteur.

Envoie-nous tes blagues à MILAN Presse, Déliramots 300, rue Léon-Joulin, 31101 Toulouse Cedex 100.

Illustration Alfred Morera.